LOS OPUESTOROS

Sebastián G. Schnetzer

B

DETRÁS

DELANTE

ARRIBA

ABAJO

IZQUIERDA

DERECHA

PEQUEÑO

GRANDE

DiMINUTO

CORTO

LARGO

CLARO

OSCURO

ENTERO

FRACCIONADO

SOLO

ACOMPAÑADO

DESABRIGADO

ABRIGADO

TERRESTRE

EXTRATERRESTRE

NATURAL

ARTIFICIAL

SUCIO

LIMPiO

SEPARADO

UNiDO

PELADO

PELUDO

RICO

POBRE

DIMRNO

NOCTURNO

ARRUGADO

ALISADO

MODERNO

ANTiGUO

NATIVO

EXTRANJERO

BELICOSO

PACiFiSTA

PAPÁ

MAMÁ

ALEGRE

TRISTE

LOS OPUESTOROS

Título original: *Los Opuestoros*

© 2004, del texto y las ilustraciones: Sebastián García Schnetzer

© 2004, de esta edición:
Brosquil edicions - Valencia / www.brosquiledicions.es
albur producciones editoriales - Barcelona / www.albur-libros.com
La Panoplia Export - Madrid / www.panopliadelibros.com

Este libro es una realización de **albur** producciones editoriales s.l.

Primera edición: octubre 2004

ISBN Brosquil: 84-9795-065-8
ISBN Albur: 84-933976-0-1

Printed in China
by South China Printing Co. Ltd.